Dha John Mitchell
agus Floss

A' Ghàidhlig le
Seònaid NicNèill

A' chiad fhoillseachadh sa Bheurla ann an 1992 le Walker Books Ltd

© an teacsa Bheurla 1992 Kim Lewis

A' chiad fhoillseachadh sa Ghàidhlig ann an 1993 agus
an dàrna foillseachadh sa Ghàidhlig ann an 2011 le Acair Earranta,
7 Sràid Sheumais, Steòrnabhagh, Eilean Leòdhais HS1 2QN

www.acairbooks.com   info@acairbooks.com

© an teacsa Ghàidhlig 1993 agus 2011 Acair Earranta

Clò-bhuailte ann an Sìona

Gheibhear clàr catalog CIP airson an leabhair seo ann an Leabharlann Bhreatainn.

Chuidich Comhairle nan Leabhraichean am foillsichear le cosgaisean an leabhair seo.

Tha Acair a' faighinn taic bho Bhòrd na Gàidhlig.

ISBN/LAGE 978 086152 3481

Caileag

Kim Lewis

B'e coilidh òg a bh' ann an Caileag. B' ann le bodach a bha a' fuireach ann am baile-mòr a bha i. Bhiodh i a' dol cuairt sìos an t-sràid còmhla ris a' bhodach agus bu dheagh thoigh leatha a bhith a' cluich le ball anns a' phàirc.

"'S e tuathanach a tha nam mhac," ars am bodach ri Caileag.

"Tha cù-chaorach aige a tha ro aost' airson na h-obrach. Tha feum aige air cù òg a thrusas na caoraich dha. Thrèanadh e coilidh mar thusa airson sin."

Dh'fhàg Caileag agus am bodach am baile le a thaighean 's a shràidean às an dèidh. Dh'fhàg iad cuideachd às an dèidh a' chlann a bhiodh a' cluich le ball anns a' phàirc. Ràinig iad gleann a bha air a chuartachadh le cnuic a bha còmhdaichte le fraoch. Bha caoraich air feadh an àite.

Bha seòrsa de chuimhne aig Caileag air caoraich. Cha robh seann Nell fada a' sealltainn dhi mar a thrusadh i. Dh'ionnsaich an tuathanach dhi mar a ruitheadh i a-mach timcheall orra agus mar a laigheadh i sìos, mar a choisicheadh i air an sàil, mar a sgaradh i iad agus mar a chròthadh i iad. Bha i ag obair gu math cruaidh gus am biodh i na cù-chaorach math.

Ach uaireannan dhùisgeadh
Caileag tron oidhche
fhad 's a bha Nell na cadal.
Bhiodh i a' cuimhneachadh
air a' chloinn agus air a
bhith a' cluich le ball anns
a' phàirc.

Aon latha thug an
tuathanach Caileag suas
an cnoc gus am faiceadh e
ciamar a dheigheadh dhi
a' trusadh nan caorach
leatha fhèin.

Bha i ag obair gan trusadh
nuair a chual' i fuaim.
Air iomall an achaidh bha
clann an tuathanaich
a' cluich le ball ùr dubh
is geal.

Chuimhnich Caileag air
a' chloinn. Ruith i a chluich
leis a' bhall còmhla riutha.
Sheall i dhaibh cho math
's a bha i air a bhreabadh
le sròin, agus mar a chuireadh
i e air ais chun na cloinne.
Bha i a' leum cho àrd 's
a b' urrainn dhi.
"Hoigh, Dadaidh, seallaibh
seo!" dh'èigh a' chlann.
"Coimheadaibh air Caileag!"
Thòisich na caoraich
a' gluasad air falbh.

Theich na caoraich tron gheata a-steach dhan iodhlainn. Bha na caoraich anns a' ghàrradh agus air an rathad.

"CAILEAG! LAIGH SÌOS!" dh'èigh an tuathanach gu feargach. "'S ann a tha thu an seo airson a bhith ag obair 's chan ann airson a bhith gad chluich fhèin." Thug e Caileag air ais a thaigh nan con.

Laigh Caileag an sin
a' smaoineachadh air
buill agus caoraich.
Bha i a' bruadair mu
shràidean a' bhaile,
na cnuic 's an gleann,
clann agus tuathanaich,
's iad uile am measg a
chèile, fhad 's a bha aig Nell
ri na caoraich a thrusadh
air ais dhan achadh.

Ach bha Nell ro aosta airson a bhith ag obair a h-uile latha, agus dh'fheumadh Caileag an obair ionnsachadh gus a h-àit' a ghabhail.

Dh'obraich i cho cruaidh gus am biodh i math air trusadh. Mu dheireadh bha i ro sgìth airson a bhith a' bruadair. Bha an tuathanach cho toilichte leatha agus gun do chuir e gu farpais nan con-chaorach i.

"Tha i math air an obair a-nis," ars am bodach.

Ach bha a' chlann ag iarraidh cluich leis a' bhall, ge-tà. "Dadaidh, am faod seann Nell cluich còmhla rinn a-nis?" dh'fhaighnich iad. Ach cha robh eòlas sam bith aig Nell air clann agus air cluich.

"Cha chluich duine le ball cho math ri Caileag," thuirt iad. "Siuthad, ma-tà," thuirt an tuathanach air a shocair ri Caileag. Bhreab a' chlann am ball suas dhan adhar.

Chuimhnich Caileag air
a' chloinn. Ruith i a chluich
còmhla riutha leis a' bhall.
Sheall i dhaibh cho math
's a bha i air a bhreabadh le
sròin agus mar a chuireadh i
e air ais chun na cloinne.
Bha i a' leum cho àrd 's
a b' urrainn dhi.
Bha iad uile air an dòigh.
Bha Caileag a-nis math air
cluich agus math air trusadh.
Cha b' urrainn na b' fheàrr.